Opération jardinage

Pour Amaury, un joyeux rêveur plein de vie.
M.

www.flammarion-jeunesse.fr

Une précédente édition a paru en 2014 sous le titre *Le Potager de l'école*.
© Flammarion, 2014 pour le texte et les illustrations
© Flammarion, 2019 pour la présente édition
Éditions Flammarion – 87, quai Panhard-et-Levassor – 75647 Paris Cedex 13
ISBN : 9782081481756 – N° d'édition : L.01EJEN001623.N001
Dépôt légal : mai 2019
Imprimé en Espagne par Liberdúplex – avril 2019
Loi n° 49-956 du 16 juillet 1949 sur les publications destinées à la jeunesse

Opération jardinage

Texte de
Magdalena

Illustrations
d'**Emmanuel Ristord**

CASTOR POCHE

Basil

Réda

Samir

Léo

Selma

Alice

Lou

Fatou

Tim

Mia

Noé

Léa

Ana

Téo

Bob

Notre classe de CE1

Luc

Cet après-midi, les filles ont mis
des chapeaux de paille.
Les garçons portent des casquettes.
Le maître a sorti son chapeau de cow-boy
et a pris deux grands paniers en osier.
« En route pour le jardinage ! » dit-il.

Derrière l'école, il y a un potager bien caché.
Les élèves ont fait des plantations
pendant l'année.
Et maintenant, le temps de la récolte
est arrivé.

Pour accéder au potager, il faut sortir
de l'école, faire le grand tour par la rue,
et entrer par un petit portillon à l'arrière.
Les enfants sont impatients.

En arrivant, Maître Luc annonce :
« On va commencer par nettoyer un peu
le potager. »

Les élèves arrachent les mauvaises herbes.
« Aïe ! dit Samir en se grattant le bras.
Ça pique.
– Le maître avait pourtant dit de faire
attention aux orties, rappelle Réda.
– Réda ! Une coccinelle vient de se poser
sur toi, dit Fatou. Ça porte bonheur !
– Je vais avoir de la chance, chic, alors ! »
s'exclame Réda.

« Maintenant, on va récolter le fruit
de notre travail », dit Maître Luc.
Puis il ajoute :
« À cette saison, seules les fraises
du potager sont mûres. Il y a plus
de légumes : la salade, les petits pois,
les courgettes, les radis, les artichauts…
Je vais vous montrer ce que vous pouvez
ramasser. »

Tout le monde a le nez baissé pour mieux chercher, chacun dans sa position préférée : à genoux, à quatre pattes, penché.
Le potager est envahi de mains et de bras qui se croisent.

Tout à coup, Léa et Ana crient :

« AAAAAH !

– Elles ont vu un escargot sans coquille,
explique Noé au maître.

– C'est une limace, voyons, elle ne va pas
vous manger. En revanche, elle se cache
souvent dans les feuilles de salade
et pourrait bien finir dans votre estomac,
dit Maître Luc.

– Une limace dans la salade, ça fait
de la viande dans les légumes »,
chuchote Basil à Bob, qui ricane.

Bientôt, les deux paniers débordent
de fruits et légumes de toutes les couleurs.
On peut voir des artichauts violets
et des laitues sur le dessus.
« Mission accomplie ! » dit Maître Luc,
fier de ses élèves.

De retour en classe, Maître Luc étale
les légumes sur la table.
Il veut tester les connaissances
de ses élèves.
Il montre l'artichaut.
« Qu'est-ce que c'est ?
Un indice : cela peut se manger cru ou cuit.
– Un chou ? propose Tim.
– Non, répond Maître Luc.
– Un brocoli ? dit Samir.
– Non plus. Ça commence par A.
– Un ananas vert, alors ? » dit Noé, pour rire.

Maître Luc présente tous les légumes.
« Certains légumes se mangent seulement
cuits, mais d'autres se mangent cuits
ou crus », explique Maître Luc.
Puis ils font un jeu.
Maître Luc montre un légume et les élèves
crient « cuit » ou « cru » selon la bonne
réponse.
Quand il a fini, il dit :
« Maintenant, vous pourrez faire le marché
sans vous tromper ! »

Maître Luc écrit au tableau :

Les légumes, c'est bon pour le moral.
Les légumes crus ou cuits, ça nourrit.
Les légumes, ça ne peut pas faire de mal !
Les légumes, il en faut dans la vie !

« N'empêche que moi, je n'aime pas trop
les légumes, dit Lou.
– Moi non plus, dit Alice, je préfère les fruits !
– Surtout les fraises », ajoute Léa.

es légumes, c'est bon pour le moral.

es légumes crus ou cuits, ça nourrit.

es légumes, ça ne peut pas faire de mal !

es légumes, il en fau

« D'ailleurs, à ce sujet, je vais vous présenter
le roi des fruits et légumes »,
annonce Maître Luc.
Il montre un tableau du peintre italien
Arcimboldo, qui faisait des portraits,
certains avec des végétaux.
« C'était le roi de la soupe, alors »,
dit Basil pour faire son malin.

« Justement, à propos de soupe,
nous allons en préparer une ensemble…

– Pas une soupe, beurk ! dit Basil.

– Non, je plaisante, répond Maître Luc.
Mais une ratatouille, oui ! »

Dans la cuisine de la cantine, tous les élèves
se transforment en cuisiniers pour nettoyer,
éplucher et découper les légumes.
Maître Luc donne ses instructions :
« Attention avec les épluche-légumes :
ne vous épluchez pas les doigts ! »

Quand ils ont fini, Maître Luc confie
la cuisson de la ratatouille à la dame
de cantine.

« On la mangera demain midi : quand
elle est réchauffée, c'est bien meilleur !
dit-il aux élèves.

– On sera obligés ? demande Basil, inquiet.

– Une cuillère à café pour goûter,
tu crois que tu y survivras ? »
se moque gentiment Maître Luc.

« Et maintenant que vous avez bien travaillé,
c'est l'heure du goûter ! » s'exclame Maître Luc.
Les élèves se partagent les fraises du potager.
« Il y en a juste une pour chacun ? »
demande Réda, déçu.
Heureusement, Maître Luc en a acheté
un plein panier qu'il sort en disant :
« Surprise ! »
Les enfants sont très contents.

Léa et Ana se frottent les lèvres
avec une fraise et font les belles.
« Regardez, on a du rouge à lèvres.
– Pfff… Les filles font n'importe quoi :
on ne joue pas avec la nourriture,
chuchote Samir à Bob.
– C'est vrai », dit Bob en se faisant
des moustaches.

Je joue pour bien comprendre

1 **Trouve les 5 erreurs** dans ce résumé du livre.

Pour le jardinage,
les filles ont mis des chapeaux de pluie
pour se rendre au potager
qui est à l'intérieur de l'école.
Les élèves plantent des légumes.
Avec les légumes, ils font de la purée.
Et quand ils ont fini, ils mangent tous
des framboises.

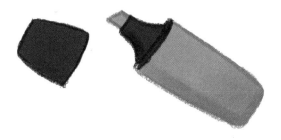

Réponse : chapeaux de pluie = chapeaux de paille ;
à l'intérieur de l'école = à l'extérieur de l'école ;
plantent = récoltent ; la purée = la ratatouille ;
framboises = fraises.

34

2 **Qui a dit quoi ? Associe** chaque phrase au bon personnage.

1. Je me suis piqué avec des orties.

2. Une coccinelle s'est posée sur moi, ça porte bonheur !

3. À cette saison, beaucoup de légumes sont mûrs.

4. Nous avons vu un escargot sans coquille !

5. Je n'aime pas la soupe.

 **a.** Maître Luc   **b.** Samir   **c.** Basil   **d.** Réda

  e. Ana et Léa

1 **Montre** les légumes qui se mangent crus, cuits, ou les deux.

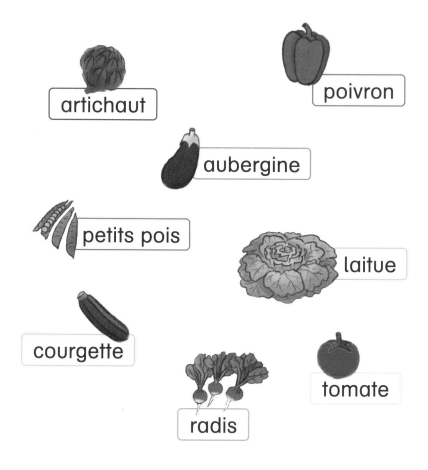

artichaut

poivron

aubergine

petits pois

laitue

courgette

radis

tomate

Réponse : cru = laitue, radis ; cuit = aubergine, petits pois, brocoli ; les deux = artichaut, tomate, poivron, courgette.

2 **Relie** chaque fruit à la saison à laquelle il pousse.

1. orange **3.** pomme **5.** cerise

2. fraise **4.** abricot **6.** châtaigne

a. été **b.** hiver

3 **Et toi ? Raconte…**

Quels sont tes fruits et tes légumes préférés ? As-tu déjà fait des plantations dans un potager ? Si tu cuisines avec tes parents, donne ta recette préférée…

Retrouve les histoires de **Je suis en CE1**
pour t'accompagner tout au long de l'année
dans la maîtrise de la lecture autonome.

Premier jour de classe

À la bibliothèque

La photo de classe

Une dent perdue

Opération jardinage

Allez les champions !

Au poney-club

Tous à vélo !

Billes, toupies et compagnie

T'es plus ma copine !

La gorge qui grattouille

Maître Luc est amoureux

Visite au musée

Téo a une petite sœur

Selma veut danser

Quelles histoires as-tu déjà lues ?
Quelle est ta préférée ?
Lesquelles aimerais-tu lire ?

Découvre aussi

Les maths du CE1
3 titres parus

Je m'amuse
pour bien lire

100 jeux pour
les vacances

Les nouveaux
copains

Si tu veux contacter l'auteure,
tu peux aller sur son blog :
www.magdalena-auteur.com